Wil je meer weten over Dolf Verroen?
Kijk op www.dolfverroen.nl

LEES N!VEAU

		ME	ME	ME	ME	ME	ME	
AVI	S	3	4	5	6	7		P
CLIB	S	3	4	5	6	7	8	P

Kunst en jarig

Toegekend door Cito i.s.m. KPC Groep

Leeftijd vanaf 9 jaar

Bij boeken in de Kokkel-reeks zijn zins- en woordlengte, AVI, lay-out, illustraties en inhoud aangepast aan de leeservaring en mogelijkheden van kinderen die graag spannende boeken lezen die niet te moeilijk zijn. Boeken in deze reeks zijn voorzien van het AVI- en CLIB-vignet (dat wil zeggen dat de boeken op niveaubepaling zijn geregistreerd en gecontroleerd door CITO ism KPC Groep).

Voor andere delen in de Kokkel-reeks: kijk op www.inktvis.nl

Dolf Verroen

Kunst en vliegwerk

Met tekeningen van Sylvia Weve

Uitgeverij De Inktvis

Tekst: © 2012 Dolf Verroen
Tekeningen: © 2012 Sylvia Weve
Vormgeving: Erik van Wel (Hollands Diep Design)

NUR 286
ISBN   978 90 75689 778

Hoofdstukken

Twee achter elkaar

'Was je blij toen ik kwam?' vraagt Pablo.
'Nou en of,' zegt mamma.
En dan zegt ze niks meer.
Ze kijkt niet naar Pablo en niet naar Iris.
Ze kijkt naar iets dat er niet is.
Of ze de vraag is vergeten.
'Waar kijk je naar?' vraagt Pablo ongeduldig.
'Mamma kijkt naar vroeger,' zegt Iris.
'Snap je dat niet?'
'Jij zeker wel?'
'Ik ben een kwartier eerder geboren.
Dus ik snap meer dan jij.'
Pablo zegt niets terug.
Nu weet hij nog niet waar mamma naar kijkt.
En dat kan hij niet uitstaan.
'Ze dacht natuurlijk: eindelijk een jongen.
Niet weer zo'n...'
Het is flauw, maar hij weet niks anders.
'Nee,' zegt mamma, 'ik was blij met jullie allebei.
Maar ik dacht wel: twee kinderen...
Ik moest alles dubbel hebben.
En we waren straatarm.

Pappa maakte prachtige schilderijen, maar hij
verdiende er niks mee.
Nog minder dan nu.'
'Maar nu staat hij soms in de krant,' zegt Pablo.
'Ik denk dat ik later ook schilder word.
Pappa vindt dat ik het heel goed kan.'
'Zorg eerst dat je een goed rapport krijgt,' zegt
mamma.
'Dan zien we wel verder.'
Ze kijkt opeens weer mamma-achtig.
Lief, maar wel streng.
Zo kijkt Iris nu ook.
Pappa heeft één keer in de krant gestaan, denkt ze.
En we zijn nog steeds niet rijk.

En gelijk jarig

Pablo is om zes uur wakker.
Het is nog bijna donker.
Hij rolt als een bal zijn bed uit en rent naar Iris.
Hij schudt haar wakker alsof ze een zak zand is.
'Opstaan. We zijn jarig.'
Dat weet Iris ook wel.
Ze weet ook dat ze voorlopig geen
cadeaus krijgt.
Pappa en mamma slapen zeker tot zeven uur.
Ze heeft nog geen zin om naar beneden te gaan.
Pablo wel, hij rent gillend de trap af.
Het is niet zeker of gillen helpt.
Pappa en mamma slapen altijd zo vast.
Die zijn niet wakker te krijgen!

Kijk nou eens: ze zitten allebei aan tafel.
Ze zijn aangekleed en ze kijken alsof ze uren
op zijn.
De kamer hangt vol slingers en vlaggetjes.
En er staan twee versierde stoelen.
Er wordt nog even niet gezongen.
Dat gebeurt pas als Iris gapend de kamer
in komt.

'Tien jaar!' roept pappa.
'Daar moet op gezongen worden!'
Iris vindt dat nooit leuk.
Ze wordt er een beetje verlegen van.
Pablo niet, die zingt het hardst van allemaal mee.

En dan komen de cadeaus.

Pablo heeft een tv gevraagd, een nieuwe cd-speler,
een laptop, een iPod, een paar Nikes en vijftien cd's.
Hij wil ook graag een nieuwe telefoon.
Hij weet natuurlijk dat hij dat allemaal niet krijgt,
maar het is leuk om te vragen.
Iris is verstandiger.
Die vraagt wat ze echt hebben wil.
En dat is make-up en alles in één kleur: felrood.
'Geen sprake van,' heeft mamma al gezegd.
'Daar ben je veel te jong voor.'
Iris wil niets anders.
Deze verjaardag vindt ze dus niks.
Wat heb je er aan als je niet krijgt wat je
hebben wilt?
Meestal krijgt Iris eerst.
Ze is tenslotte een kwartier ouder dan Pablo.
Nu krijgen ze allebei tegelijk.
'En...' zegt pappa, 'allebei hetzelfde.'
'Maar ik wil geen rooie lippenstift,' zegt Pablo.
'Mond dicht,' zegt pappa. 'Eerst een toespraak.'
En dan gaat achter elkaar de bel.
Alsof er brand is.

Verrassing

Op de stoep staat oma, de moeder van pappa.
Voor een oma is ze erg klein.
Maar een klein beetje groter dan Iris.
Oma heeft rare lange armen aan dat kleine lijfje
en daar kan ze geweldig mee zwaaien.
'Zo,' zegt pappa, 'kom je de verjaardag verpesten?'

Oma heeft een precies bij haar passend
klein autootje.
Er komt een enorme doos met taart uit, een groot
pak voor Pablo en een kleintje voor Iris.
Pappa wil het liefst meteen aan de taart beginnen,
maar eerst komen de cadeaus.
Voor allebei een laptop.
Het is een kleintje, niet groter dan acht inches.
Het neemt nauwelijks ruimte in.
'Via internet gekocht,' zegt pappa trots.
'Er zit alles op: internet, mailen, alles.'
Op de laptop van Iris heeft hij een iris geschilderd.
Op die van Pablo een lange neus.
'Omdat je zo nieuwsgierig bent.'
De laptopjes zijn fijn, maar ze mogen er nog niets
mee doen.

Eerst oma!

Iris krijgt een zilveren bedelarmband van
oma zelf.
'Jij hebt net zulke dunne polsen als ik.'
En dan een fles kleurloze nagellak: 'Om het
te leren.'
'Moeder,' zegt mamma, 'daar is ze toch te
jong voor.'
Dat vindt Iris niet.
Ze wil meteen al haar nagels gaan lakken.
Zelfs die van haar tenen.
'Je bent niet goed wijs,' zegt pappa.
'Een laptop is toch veel interessanter.'
Pablo is druk bezig zijn pak uit te pakken.
Er komt een palet uit en tubes verf in
alle kleuren.
'Je kunt zo leuk schilderen en tekenen,' zegt oma.
'Je moet er wat meer aan doen, vind ik.'
Dan krijgt pappa een envelop met
papieren centjes.
En mamma krijgt een ring die nog van oma's
moeder is geweest.
'Omdat jullie zulke lieve ouders zijn.'

Mamma krijgt tranen in haar ogen en pappa zegt:
'Zo'n groot hart in zo'n klein vrouwtje.
Hoe is het mogelijk!'

Twee in een

Op school moet je natuurlijk trakteren.
Eerst in de klas en dan de hele school door.
Ze zijn een tweeling, dus altijd samen.
Iris vindt het verschrikkelijk.
Altijd met dat stomme broertje!
'Een tweeling doet alles samen,' zegt pappa.
Wat denkt hij wel?
Dat ze een deel van Pablo is?
Pablo kan de pot op.

Toch moeten ze weer samen trakteren.
En dan het aller-allerergste: mamma heeft
kartonnen beertjes geknipt en er een zakje snoep
achter geplakt.
In groep zeven!
'Wat een stomme dingen,' zegt Pablo.
Iris wijst op haar voorhoofd.
Mamma wordt knorrig.
'Wij hebben geen geld voor dure dingen.
Ik ben er twee avonden aan bezig geweest.'
Iris is uit haar humeur.
'Dit is de laatste keer samen.
Volgend jaar trakteer ik alleen.'

Dan moeten ze opeens haast maken.
Pappa wil naar zijn atelier om te schilderen,
oma wil naar huis en mamma moet naar
haar werk.
Drie keer in de week gaat ze schoonmaken.
En juist vandaag moet ze op tijd zijn.
Iris zit in de klas voornamelijk te schuifelen.

Ze weet zeker dat ze worden uitgelachen.
Wie trakteert er nou op beertjes!
Ze zijn toch geen kleuters!
De meeste kinderen zijn er verrukt van.
'Beertjes! Wat leuk!'
Iris snapt er niets van, maar ze is wel blij.
Ze lacht zelfs als de meester de jarige-foto
maakt en zegt: 'Dit wordt een jarigeN-foto.
Twee in één, dat is toch prachtig!'

Feest

Een verjaardag zonder partijtje kan natuurlijk niet.
En al helemaal niet als er twee jarig zijn.
Mamma zag er heel erg tegenop.
'Ik heb bijna geen geld meer.
De huishuur moet worden betaald, Iris heeft
nieuwe schoenen nodig, Pablo is uit zijn jek
gegroeid en moet een nieuwe spijkerbroek.
En het geld van de bijstand komt pas over
een week.
Het moet allemaal erg eenvoudig, jongens.
Ik doe mijn best, maar het kan niet anders.'

Pablo en Iris dachten aan de partijtjes van andere
kinderen.
Dan gaan ze naar een goochelaar, naar het
zwembad, of, zoals laatst, zelfs naar een pretpark.
Ze mochten niet meer dan elk vijf
kinderen vragen.
Maar nu is alles opeens anders: de envelop.
De envelop van oma is er.
En daar zit duizend euro in.
'Kunnen we naar het zwembad,' zegt Pablo.
'Of naar het circus!'

'Geen sprake van,' zegt mamma. 'We houden het heel gewoon.'

'Maar niet krenterig, hoor,' zegt pappa.

'Tenslotte hebben we de envelop.'

'Waar is die eigenlijk?'

'Ik heb hem aan jou gegeven, dacht ik,' zegt pappa.

Mamma weet zeker van niet.

Pappa kijkt verstrooid: 'Dan weet ik het ook niet.'

Mamma kijkt verbazend boos.

Haar handen trillen.

Toch blijft ze rustig.

'Denk nog eens goed na.

Er zit duizend euro in, Leo. Duizend euro.'

'Ik dacht toch echt...'

'Misschien in je zak!'

Pappa klopt op zijn borst, voelt in de zakken van zijn jasje, in zijn broekzakken en schudt zijn hoofd.

Iris kijkt naar mamma.

'Misschien in je atelier!'

'Zou kunnen.'

Pappa kijkt steeds hulpelozer en ongelukkiger.

'Waar ben je allemaal geweest?'

'In de supermarkt, bij de bakker, bij...'

Hij wordt zo wit als slagroom.

Daarna zo rood als aardbeienjam.

'In de supermarkt heb ik hem in mijn tas gedaan.
En de tas ben ik vergeten.
Ik wou nog bloemen kopen, maar ze hadden niks
leuks en...'
'Daar gaan onze centen.'
Mamma wordt niet wit en niet rood.
Ze haalt haar schouders op en gaat naar
de keuken.
Iris kijkt naar Pablo.
Ze staan allebei op en rennen naar de supermarkt.
De tas staat bij één van de kassa's.
'Je vader heeft hem vergeten,' zegt de juffrouw.
'Ik dacht: hij komt hem wel halen.'
Tussen een brood en een pak melk zit de envelop.
Hij kleeft en is vochtig.
Hij is niet open gemaakt.
Alles kan doorgaan!

Het feest wordt toppie toppie.
Pablo heeft acht kinderen gevraagd omdat hij
tegen drie jongens geen nee durfde te zeggen.
Oma komt ook, zogenaamd om te helpen.
Ze vinden het eigenlijk niet leuk, maar pappa en
mamma durven geen nee te zeggen.
Ze hoefden geen goochelaar te vragen.

Goochelen kan pappa zelf wel.
Bij zijn speelkaartentruc glijden drie kaarten op
de grond en twee kaarten uit zijn mouw.
Van de vier eieren die hij uit zijn hoge hoed
moet toveren, vallen er twee op de grond.
De vlaggetjestruc loopt helemaal mis, maar de
horlogetruc gaat goed!
Je kan het lachen buiten horen.
Bijna alle kinderen hebben het ten slotte
over pappa.
Ze vinden hem de leukste vader die ze kennen.
Niemand heeft het over mamma.
Die staat ook meestal in de keuken hapjes
te maken.
Niet duur, wel lekker.

Pablo

Pablo is genoemd naar Pablo Picasso.
Picasso is een beroemde schilder.
Pablo vindt zijn schilderijen leuk.
Picasso schildert gezichten met rare ogen,
een neus onder de mond of een mond die
rechtop staat.
Heel anders dan de schilderijen van zijn vader.
Die schildert vegen in allerlei kleuren.
'Dat is abstract,' zegt hij.
'Een stoel is geen stoel en een landschap
geen landschap.
Het is wat je er bij voelt.'
Pablo snapt er niet veel van.
Hij zou wel willen schilderen, maar niet zoals
zijn vader of zoals Picasso.
Hij tekent meestal mensen.
Geen gewone mensen, maar stripverhaal-
mensen.

Pablo kan heel goed tekenen, ook wel een
schilderijtje maken, maar echt schilderen is toch
wat anders.
Zijn palet is nog steeds leeg.

Pappa heeft de tubes verf bekeken.
'Prachtige verf, Pablo, schitterende kleuren.
Daar kun je mooie dingen mee maken.
Je knijpt een paar kleuren op je palet en je
gaat mengen.
Zal je eens zien hoe goed dat gaat.'
Pappa heeft gelijk: oma heeft prachtige
kleuren gekocht.

Maar hij zou het liefst alleen zwart gebruiken.
Waarom weet hij niet.
Zwart lijkt hem gewoon mooi.
Het palet blijft leeg.

Het is net of het hem aankijkt en zegt:
'Doe nou eens wat met me.
Ik ben zo kaal als een ijsbaan.'

Op een woensdagmiddag komt oma een
boterham eten.
Mamma is gaan schoonmaken en Iris is naar
een vriendinnetje.
Ze ruimen samen de tafel af.
'Heb je nog steeds niks geschilderd?' vraagt oma.
Pablo verzint maar wat:
'Ik wil op een heel groot doek werken, oma.
En dat heb ik niet.'
'Gaan we kopen, dan kun je meteen beginnen.'
In oma's autootje rijden ze naar de
schilderswinkel.
Oma koopt twee grote doeken.
Pablo schrikt van het witte linnen op het
houten frame.
Hoe krijgt hij dat ooit vol?

Met haar lange armen duwt oma de achterbank
naar beneden, zodat de doeken in de auto kunnen.
Ze levert Pablo thuis af en rijdt weg.
'Maak er wat moois van, Pablo!'

Pablo heeft van pappa een schildersezel gekregen.
Die staat op zijn kamer bij het raam.
Hij zet het doek er op.
Hij kijkt er naar.
Het is zo'n groot doek!
En het is zo leeg!
Hoe kan hij daar ooit iets moois op schilderen?
Dat lukt nooit, nooit!

Iris

De euro's van oma zijn op.
Pablo heeft zijn nieuwe spijkerbroek en een jek
tegen zijn zin.
Ze zijn in tien winkels geweest en geen enkel jek
was goed.
Iris heeft precies de schoenen die ze hebben wil.
In de uitverkoop, bijna voor niks!
Mamma is zo blij, dat ze ergens thee gaan drinken.
Met taart natuurlijk.

In de klas gaat Iris scheef aan haar tafeltje zitten,
haar benen naar buiten.
Haar schoenen goed zichtbaar.
Alle kinderen vinden ze super.

Oma wil de schoenen ook wel eens zien.
Oma woont in heel klein oude-mensen-huis.
Ze past er precies in, net zoals in haar autootje.
Iris gaat op de fiets.
Met de nieuwe schoenen kan ze veel beter trappen.
Ze vliegt gewoon over het fietspad.
Ze heeft haar fiets nog niet neergezet of oma doet
de voordeur open.

Iris weet niet wat ze ziet.
Oma heeft rood haar, vuurrood haar!
'Zelf geverfd,' zegt ze. 'Goed hè?'
Iris vindt het fantastisch.
Oma ziet er opeens heel anders uit.
Haar gezicht lijkt door het rood wat
bleker geworden.
'Daar doen we wat aan!'

Oma heeft een grote kist met make-up.
Iris zou hem zo mee willen nemen.
Oma stift haar lippen vuurrood.
Haar wangen krijgen een extra kleurtje en met
een roller maakt ze roetzwarte wimpers.
Het is afschuwelijk.
Ze ziet er uit als een heks.
Gelukkig ziet ze het zelf ook.
Ze legt de spiegel neer en veegt alles er af.
Nu is Iris aan de beurt.
Na vijf minuten ziet ze er tien jaar ouder uit.
Oma vindt het niks, Iris vindt het super.
'Zo kan je niet naar huis,' zegt oma.
'Je moeder zou me verscheuren.'

'Hoe gaat het trouwens met je vader?' vraagt oma.

Gewoon natuurlijk.
Niks bijzonders.

Hij is elke dag aan het schilderen.
Hij geniet, ook al verkoopt hij niets.
'Ja, ja,' zegt oma en ze schudt haar hoofd.
'Ik wou dat hij eens wat flinker werd.'
Flinker?
Hij schildert schilderij na schilderij!
'Vind je ze mooi?'
Iris weet niet goed wat ze daarop moet zeggen.
Ze wil haar vader niet afvallen, maar eigenlijk
vindt ze er niets aan.
'Ik vind de kleuren wel mooi,' zegt ze.
'Al dat gestreep en geveeg,' zegt oma knorrig.
'Niemand vindt er volgens mij wat aan.
Maar dat kan hem niks schelen.
Dat was vroeger al zo.
Hij deed gewoon waar hij zin in had.
Ik had hem een schop onder zijn kont moeten
geven, maar ik heb hem veel te veel verwend.
Hij was ook zo'n lieve jongen...
En dat is hij eigenlijk nog steeds.
Gelukkig ben jij anders.
Jij wordt nooit arm, denk ik.'

Iris heeft vaak gedacht: op wie lijk ik eigenlijk?
De ene tante zegt dit, de andere oom dat.
Pappa zegt altijd: 'Je lijkt op jezelf.
Is dat niet prachtig?'
'Oma, lijk ik op pappa of op mamma?'
'Je bent een kattenkop, net als ik en je moeder.
Ze kunnen niet tegen ons op, hoor!'
Iris vindt zichzelf helemaal geen kattenkop.
Ze vindt zichzelf een muts.
En vaak nog stom ook.
'Jij moet later dokter worden,' zegt oma.
'Je verdient veel en je doet nog goed werk ook.'
Dokter?
Iris moet er niet aan denken!
Ze wil graag lui zijn en later leuke dingen doen.
Geen lastige kinderen, geen huizen
schoonmaken, altijd doen waar je zin in hebt.
En rijk worden.
Heel rijk!

Zeegezicht

De wasmachine is kapot.
De keukenvloer lijkt wel een zwembad.
Het opdweilen vindt mamma niet erg, wel het
geld voor het repareren.
Dat heeft ze niet.
Het is nog erger dan ze denkt: er moet een
nieuwe machine komen.
'Het komt zo slecht uit,' zegt mamma.
'Ik heb geen cent meer.'
Pappa hoort het niet eens.
Hij is bezig met een nieuw schilderij.
'Het wordt heel mooi en heel groot,' zegt hij.
'Leo,' zegt mamma, 'de wasmachine is kapot.'
'Wat vervelend nou.'
Je kunt horen dat hij niets gehoord heeft.
'We moeten een nieuwe kopen!'
'Ik ga morgen heel vroeg verder,' zegt pappa.
'Ik moet er nog iets aan doen en dan...'
Mamma geeft het op.
Iris niet.
'De wasmachine is kapot, pappa en mamma
heeft zo'n berg was.'
Ze wijst tot een stuk boven de tafel.

Het is alsof pappa wakker wordt.
'Binnenkort kopen we een nieuwe.
De mooiste, duurste wasmachine die er is.
Je zult zien: dit schilderij wordt het!
Ik stuur het in voor de grote Stadstentoonstelling.
Ik weet zeker dat het zo verkocht is.'
Hij kijkt weer alsof hij in een andere wereld leeft.
Als hij zo kijkt kun je beter niets meer zeggen.
Dan hoort hij toch niets.
'Mogen wij het schilderij zien?' vraagt Pablo.
Pappa wordt wakker.
Dat hoort hij wel.
'Om vier uur heb ik altijd prachtig licht, Pablo.
Dan mogen jullie het allemaal zien.
Je zult versteld staan.'
'Wat is het voor een schilderij?' vraagt Iris.
'Wat stelt het voor?'
'Een zeegezicht. Je kunt het meteen zien.'

Na schooltijd gaan ze naar het atelier.
Mamma zet de wasmachine uit haar hoofd.
Makkelijk is het niet, maar een nieuw schilderij
wil ze natuurlijk zien.
Misschien heeft pappa gelijk, krijgen ze eindelijk
een hoop geld.

Het licht is mooi, maar het schilderij...
Veel blauw, veel strepen, veel groen en een
heleboel onbegrijpelijke ballen.
'Mooi hè?' zegt pappa.
Niemand zegt wat.
Ze kunnen het zeegezicht niet ontdekken.
'Het heeft geen horizon,' zegt pappa.
'Luchten zijn me veel te gewoon.'

'Waar is het strand?' vraagt Iris.

'Of is dat er ook niet?'

'Natuurlijk niet,' zegt pappa.

'Het is toch geen kindertekening.'

Mamma denkt weer aan haar wasmachine.

'Wanneer moet je het inleveren?'

'Eind van de week, geloof ik.

Als het echt klaar is, ga ik het zelf brengen.

Zul je die mensen op het stadhuis zien kijken.'

Het blijft stil in het atelier.

Pappa hoort het niet eens.

Hij kijkt verrukt naar zijn schilderij.

Alsof hij nog nooit zoiets moois gezien heeft.

Zwart

'Geen stripfiguren,' heeft pappa gezegd.
'Op zo'n doek hoort een echt schilderij.'
Hoe maak je dat?
'Je smeert er wat op.
Veel kleuren, veel vegen.
Laat je kwast maar gaan.
Je zult zien: het gaat vanzelf.'
Pappa heeft makkelijk praten, Pablo moet het
doen.
Zoals pappa kan hij het niet.
Maar hoe dan wel?

Op zijn ezel staat het doek.
Het is heel groot, heel wit.
Hoe krijgt hij dat vol?
Van pappa heeft hij kwasten en penselen
gekregen, de kwasten dik, de penselen dun.
En al die tubes verf van oma!
De ene kleur nog mooier dan de andere.
Tussen de tubes wit, groen, rood, blauw en geel
ligt de tube zwart.
Het is net of de tube hem aankijkt.
Pablo pakt hem op, schroeft de dop er af en

spuit wat verf op het palet.

Het ligt daar als een heel klein drolletje.

Hij drukt een heleboel verf er bij en pakt een grote dikke kwast.

Het is alsof hij opeens weet wat hij wil.

Langzaam trekt hij een streep schuin naar boven.

Er komt er één naast, dik aan de onderkant, dunne streepjes aan de bovenkant.

Hij heeft het gevoel of het doek al bijna vol is.

Nog een streep, nu dunner, met een andere kwast.

Klaar!

Er mag niets meer bij.

Waarom weet hij niet.

Hij vindt het zelf een mooi schilderij.

Na een tijdje niet meer.

Het is niks, helemaal niks.

Ze lachen hem allemaal uit.

Pappa heeft hem ook een krabber gegeven.

Daarmee kun je de verf er af halen.

Hij wil net beginnen als de deur open gaat.

Natuurlijk oma.

Soms lijkt het of ze hier woont.

'Ik kwam eens kijken...' zegt ze.

'Jongen, het is prachtig, prachtig.
Hoe heb je dat verzonnen?
Het lijken wel Chinese letters.
Je wordt beroemder dan je vader.
Zeker weten!'
Pappa vindt het schilderij schitterend.
'Knap, Pablo, hartstikke knap.'
Zelfs Iris vindt het mooi.
Alleen mamma zegt er niet veel van.
Ze kijkt wel, maar ze denkt aan iets anders.

Mamma

Mamma denkt aan de witte was, de zwarte was
en aan de kapotte wasmachine.
In de buurt is geen wasserette.
Alle mensen in de buurt hebben wasmachines.
Iris wordt kwaad.
Nergens een schoon T-shirt meer.
Pappa en Pablo merken niet dat hun T-shirt
vuil is.
Pablo trekt rustig stinksokken aan en pappa zit
onder de verfvlekken.
Mamma vindt het vreselijk.
'Ik weet niet wat ik doen moet,' zegt ze.
'Ik heb twee keer bij de buren gewassen.
Ik kan niet blijven vragen.'
'En de andere buren?
Ik heb niets meer om aan te trekken.'
Dat is Iris natuurlijk.
'Ik koop er één bij Wehkamp,' zegt pappa.
'Daar hoef je niet gelijk te betalen.
De rekening van de laptopjes is trouwens binnen.
Nou ja, die hoeft niet meteen betaald te worden.'
'Leo,' zegt mamma venijnig. 'Je bent net
een kind.

Gebruik je verstand toch eens.'
Pappa loopt de kamer uit.
'Zo ben je ook overal van af,' zegt
mamma kwaad.
'Mamma,' roept Iris, die niet tegen ruzie kan,
'we vragen het oma!'
Mamma schudt haar hoofd.
'Oma doet al zoveel voor ons.
Het komt wel in orde, Iris.'

En het komt in orde.
Twee dagen later staat er een nieuwe
wasmachine en zijn de laptopjes betaald.
'Ik had nog een potje,' zegt mamma.
'Was ik helemaal vergeten.'
Pablo en Iris geloven er geen woord van.
'Waar had je dat potje dan?'
'O,' zegt mamma, 'ergens in de kast.
Het geld dat ik van je geleend had, Iris, heb ik
weer in je spaarpot gedaan.
Willen jullie thee?'

Pablo gaat weg, Iris blijft zitten.
Ze vindt mamma opeens een beetje zielig.
'Ik ga je nagels lakken, mamma.

Ik ga even mijn nagellak halen.'
Mamma heeft lelijke nagels, vindt Iris.
Hier en daar zijn ze afgebroken.
Ze pakt het kwastje en mamma's hand.
'Waar is je ring, mamma?'
'Die heb ik boven laten liggen,' zegt mamma.
'Bij de wastafel.'
'Ik haal hem wel even.'
Mamma roept dat ze hem straks zelf wel haalt,
maar Iris is al boven.
Geen ring bij de wastafel.
Ook niet op het nachtkastje.
Hij zal toch niet weg zijn?
'Je hebt hem toch niet verloren?'
'Nee,' zegt mamma. 'Niet verloren.'
Ze zit heel raar met haar vingers te wriemelen.
Ze kijkt of ze niet weet wat ze moet zeggen.
'Kun je een geheim bewaren?'
Iris denkt van wel.
'Ik heb geld geleend bij de Kredietbank.
Die ring is heel veel geld waard, dus...'
'Je hebt je ring daar gelaten?'
'Ik krijg hem terug als ik mijn schuld betaal.'
'En als je geen geld hebt?'
'Dan ben ik mijn ring kwijt.

Tegen die tijd heb ik wel weer geld, Iris.
Maak je geen zorgen.'
Iris stopt het geheim weg.
Dat is moeilijk, want mamma kijkt zo somber.
Of ze het allemaal verschrikkelijk vindt.

Kunst

Pablo heeft nog een schilderij gemaakt.
Een beetje hetzelfde, met rood er bij.
Pappa vindt het niet goed.
Hij legt uit waarom het eerste goed is.
'En geen naam er onder, Pablo, dan verpest je
het.'
Hij zet hun achternaam op de achterkant met het
jaartal er bij.
'Het kan zo naar de Stadstentoonstelling.
Het is kunst met een grote K, jongen.
Nu ga ik gauw aan het werk.
Ik kan tot het eind van de week insturen en ik
moet er nog een kleinigheid aan doen.
Het is nog nét niet goed.'
Pappa heeft al vijf keer ingestuurd.
Hij is steeds afgewezen.
Ze vinden hem geen goede schilder.
'Dit keer lukt het,' zegt hij.
'Mijn Zeegezicht is geweldig.'

Pappa gaat elke dag naar zijn atelier.
Op vrijdag is het nog niet klaar.
'Ik denk niet dat het op tijd af komt,' zegt hij.

'Het is een kleinigheid, maar o zo belangrijk.'
Oma komt in de middag informeren.
Pablo is alleen thuis.
'Als we jouw schilderij nu eens brengen,' zegt ze.
'Ik weet zeker dat het wordt aangenomen.
Iedereen vindt het prachtig.
En met je vader wordt het toch niks.'
Pablo krijgt geen kans er over na te denken.
De lange armen van oma trekken het doek al van
de ezel.
'Deur open, Pablo, daar gaan we.'
Ze moeten het schilderij in het gemeentehuis
afleveren.
Een meneer zet het bij wel dertig andere
schilderijen.
'Misschien heb je geluk,' zegt oma.
'Dan krijg je vijfduizend euro, Pablo.
Nou, dan mag je mij op taartjes trakteren.
En denk er om: mondje dicht.
Niemand mag het weten.'

Vijfduizend euro!
De hele middag fantaseert Pablo wat hij kan kopen.
Als in een droom ziet hij het voor zich: drie
nieuwe spijkerbroeken, hardloopschoenen, tien

T-shirts met opdruk, een heleboel
spannende games…
Er komt steeds meer bij.
Hij wordt uit zijn droom gewekt door mamma.
Ze is echt kwaad, heel erg kwaad.
Ze zet een schaal stamppot veel te hard op tafel.
'Geen vlees?' vraagt pappa als mamma gaat zitten.
'Geen geld voor,' snauwt ze.
'Geen schilderij, geen vlees. Duidelijk?'
Pappa weet niet wat hij moet doen.
'Maar schat,' stottert hij. 'Ik kan het niet helpen.
Het ging om één stip.
Een blauwe stip, zo belangrijk!
Ik kon het echt zo niet wegbrengen.'
'Wat maakt één stip nou uit, Leo.'
Pappa kijkt ongelukkig.
Hij schept zijn bord vol stamppot.
'Met uien,' zegt hij, 'lekker.'

Dan weer dit, dan weer dat

Wat is het moeilijk om niks te zeggen.
Pablo schreeuwt het bijna uit:
'Ik heb een schilderij gemaakt.
Ik ga misschien wel winnen!'
'Vast en zeker,' zegt oma. 'Ik voel het.'
Pappa denkt nergens meer aan.
Hij is aan wat nieuws bezig.

Een portret van mamma.
Ze gaat elke dag een paar uur zitten.
Ze heeft er geen zin in, maar ze doet het toch.
Tot ze een nieuw baantje kan krijgen.
Aan de kassa bij de supermarkt.
'Ik ben zo blij,' zegt ze wel tien keer.
'Zijn we eindelijk van de bijstand af.'
Pappa vindt het niks.
'Je bent toch geen winkeljuffrouw.'
'Nee,' zegt mamma liefjes. 'Ik ben werkster.'
'Dat ziet niemand en hier kent iedereen je.'
'Hou op,' zegt mamma. 'Of ik word kwaad.
Ontzettend kwaad.'

Het is allemaal niet nodig: het gaat niet door.
Mamma is te duur.
Ze hebben liever een jong meisje.
'Ik wil wel, hoor,' zegt Iris.
'Nooit meer naar school, heerlijk!'
Pablo denkt aan de vijfduizend euro.
Met zoveel geld zijn ze rijk!
Het geheim brandt op zijn tong.
Hij wil het zo graag vertellen!
Het duurt niet lang of hij zegt:
'Iris, kun je een geheim bewaren?'

Natuurlijk kan Iris dat niet.

Ze vertelt het eerst aan een vriendinnetje, dan
aan mamma en die vertelt het aan pappa.

Pappa wordt woedend.

'Hoe kun je dat doen?' schreeuwt hij.

'Er staat mijn naam op en het is geen schilderij
van mij.'

Dat is waar.

Ze heten allebei hetzelfde.

'Maar je vond het zo mooi?' zegt Iris.

'Ik schilder toch heel anders.

Pablo mag niet eens meedoen.

Daar is hij veel te jong voor.'

Hij beent het huis uit.

Diezelfde middag is het schilderij terug.

Pech pech pech

Alles, alles loopt mis.
Het schilderij van Pablo is gevallen.
Het linnen is gescheurd.
Hij kan het net zo goed weggooien.
Oma heeft één van haar lange armen gebroken
en Iris is van school gestuurd.
Ze heeft gevochten met een meisje en in haar
arm gebeten.

Pappa zit urenlang thuis.

Hij schildert niet en zit voor zich uit te kijken.

'Ik kan het niet meer.

Ik pak nooit meer een penseel op.'

De enige die gewoon doet is mamma.

Ze helpt oma met douchen, kookt voor haar en
doet haar werk.

Pablo en Iris internetten.

Pablo zoekt alles op van Picasso en Iris kijkt naar
make-up en mode.

Tot ze er genoeg van hebben.

'Andere kinderen hebben games.

Wij hebben helemaal niks,' zeurt Pablo.

Er komt een boze brief van de schilderswinkel.

Pappa heeft verf gekocht en niet betaald.

Een nog bozere brief van een bloemenwinkel.

Pappa heeft grote bossen droogbloemen gekocht.

Hij heeft ze wel geschilderd, maar ze niet betaald.

Tot slot krijgt mamma een ongeluk.

Ze mag de auto van oma gebruiken.

Bij het parkeren heeft ze een deuk opgelopen.

Mamma kan niet ophouden met huilen.

Oma kan het niks schelen.

Ze slaat haar goede arm om mamma heen.

'Je bent een lieve meid,' zegt ze.
'Jullie hebben een beetje pech, maar alles komt in orde.
Je zult het zien!'

Een wonder

'O nee hè,' zegt mamma. 'Niet weer.'
Ze is bezig met het haar van oma.
Pappa ziet er uit alsof hij een wedstrijd
heeft gelopen.
Het zweet druipt van zijn gezicht.
Zijn haren plakken tegen zijn schedel.
'Het is echt waar,' hijgt hij.
'Hij is een Amerikaan.
Hij komt in mijn atelier en zegt:
Aai hef een portret from you sien,
zo bjoetifoel, zo bjoetifoel...
Hij kijkt naar mijn Zeegezicht...
Hij wil het meteen kopen.
Voor tienduizend euro!'
'En daarna is hij zeker weggegaan.'
Pappa knikt.
'En morgen komt hij terug?'
Pappa knikt weer.
'Je leert het ook nooit, Leo,' zegt mamma.
'Je trapt er iedere keer weer in.
Die mannen komen kijken, beloven je van alles
en daarna zie je ze nooit meer terug.'
'Maar deze wel!'

Pappa schreeuwt bijna.
'Mijn schilderijen gaan naar New York.
Hij heeft er vijf gekocht.
Morgen worden ze in kratten verpakt en
verstuurd naar New York.'

Mamma gelooft er geen woord van.
Pablo wel.
'Was het een aardige man, pap?
Mogen wij allemaal naar New York?'
'Ja,' zegt pappa. 'Allemaal.
Hij denkt dat hij alles verkoopt.'
'Dan word je beroemd,' zegt Iris.
'En wij ook,' zegt Pablo. 'Leuk pap.'
'Laat je toch niks wijsmaken, Leo.
Al die beloftes.
Je moet eerst geld zien en dan...'
'Maar dat heb ik ook!' roept pappa.
Hij graait in de zakken van zijn jasje en opeens
vliegt het geld door de kamer.
Briefjes van vijftig, honderd, zelfs vijfhonderd.
Iris en Pablo graaien ze van de grond of het
pepernoten zijn.
'Je hebt ze toch niet gejat hè?' grijnst oma.

De tafel ligt vol geld.
Tienduizend euro.
En morgen komt er veertigduizend bij.

'Maar dan zijn we rijk,' stottert mamma.
'Hij denkt dat ik een hype wordt,' stottert pappa.
'Dat heel New York komt kijken.'
Nu zegt zelfs mamma niks meer.
'Komt hij morgen naar je atelier?'
'Nee, nee,' roept pappa, 'hij komt straks eten.'
'Maak iets gewoons,' zegt oma.
'Dat vinden zulke mensen het lekkerst.
Zuurkool met spek, erwtensoep, bruine bonen of
boerenkool met worst.'
Daar is het toch geen weer voor!
Dat is winterkost!
'Pannenkoeken,' roept Iris.
'Met stroop en spek!' schreeuwt Pablo.
Mamma zit er bij alsof ze het niet kan geloven.
'Zoveel geld,' zegt ze. 'Ik snap er niets van.
'Lieve schat,' zegt oma, 'ik heb het je
toch gezegd?
Alles komt goed.
Altijd!'